Un nouveau monde

A New World

Stephen Rabley

Pictures by David Lopez

F ich by Marie-Thérèse Bougard

Magnus est un jeune Viking du Groenland.

Il habite dans un petit village au bord de la mer.

Chaque jour, il aide ses parents. Ils ont dix cochons, et Magnus les nourrit.

Magnus aime sa famille, mais il aime aussi la mer.

Il veut voyager et visiter de nouveaux endroits.

Un jour, il voit des hommes près de sa maison.

Ils parlent d'un "nouveau monde".

Magnus is a young Viking from Greenland.

He lives in a small village beside the sea.

Every day, he helps his parents. They have ten pigs, and Magnus feeds them.

Magnus loves his family, but he also loves the sea.

He wants to travel and visit new places.

One day, he sees some men near his house.

They are talking about a 'new world'.

"Fantastique!" pense Magnus, et il suit les hommes.

Ils vont à la plage. Un homme parle:

"Où est ce nouveau monde, Capitaine Eriksson?"

"A l'ouest," répond un homme grand.

"Nous partons demain matin."

Magnus sourit. "Je peux partir avec vous?" demande-t-il.

L'homme grand le regarde de haut.

"Non, mon garçon," dit-il. "Tu es trop jeune!"

"How exciting!" thinks Magnus, and he follows the men.
They walk to the beach. One man speaks:
"Where is this new world, Captain Eriksson?"
"In the west," answers a tall man.
"We leave tomorrow morning."
Magnus smiles. "Can I go with you?" he asks.
The tall man looks down at him.
"No, my boy," he says. "You are too young!"

Magnus retourne dans son village. Il est très triste.
Il rencontre une vieille femme en chemin. Elle sourit.
"Viens chez moi," dit-elle. "Je dois te parler."
A l'intérieur, elle regarde dans le feu. "Je vois
un nouveau monde. Tu es là-bas, et tu es le *premier!*"
Elle donne deux poupées à Magnus. "Le garçon, c'est toi."
"Qui est la fille?" demande Magnus.
La vieille femme ne répond pas.
"Laisse-les dans le nouveau monde," dit-elle. "Vas-y!"

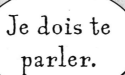

6

Magnus returns to his village. He is very sad.
He meets an old woman on the path. She smiles.
"Come into my house," she says. "I must talk to you."
Inside, she looks into the fire. "I see
a new world. You are there, and you are the *first!*"
She gives Magnus two dolls. "The boy is you."
"Who is the girl?" asks Magnus.
The old woman doesn't answer.
"Leave them in the new world," she says. "Go!"

Le lendemain, Magnus se lève très tôt.

Ses parents dorment.

Magnus les regarde, puis il sort doucement.

Il court à la plage. Il ne voit personne,

mais il y a un oiseau blanc dans le ciel.

Il monte dans le bateau du capitaine Eriksson.

"Je peux me cacher ici," dit-il.

Puis il attend… et attend… et attend.

The next morning, Magnus gets up very early.
His parents are sleeping.
Magnus looks at them, then he leaves quietly.
He runs to the beach. He doesn't see anyone,
but there is a white bird in the sky.
He climbs into Captain Eriksson's ship.
"I can hide here," he says.
Then he waits… and waits… and waits.

Les hommes montent dans le bateau.

"Tout est prêt?" demande le capitaine Eriksson.

Les hommes rient et crient.

"Oui, Capitaine," disent-ils.

Soudain, le bateau commence à bouger.

Magnus ne fait pas de bruit.

Les hommes ne doivent pas le trouver.

Après un long moment, il regarde entre les sacs.

Il voit le ciel et la mer.

The men climb into the ship.

"Is everything ready?" asks Captain Eriksson.

The men are laughing and shouting.

"Yes, Captain," they say.

Suddenly the ship starts to move.

Magnus doesn't make a sound.

The men mustn't find him.

After a long time, he looks out between the sacks.

He can see the sky and the sea.

A la fin de la journée, le capitaine Eriksson dit:
"Nous pouvons nous reposer maintenant.
Olaf, donne aux hommes de la viande et du pain."
Magnus entend des pas lourds. "Oh, non!"
Soudain, deux grands yeux bleus le regardent.
"Qu'est-ce que c'est?" crie Olaf. Magnus ne dit rien.
"Viens avec moi!" dit Olaf.
Il emmène Magnus voir le capitaine.

At the end of the day, Captain Eriksson says,
"We can rest now.
Olaf, give the men some meat and bread."
Magnus hears heavy footsteps. "Oh, no!"
Suddenly two big blue eyes are looking at him.
"What's this?" shouts Olaf. Magnus says nothing.
"Come with me!" says Olaf.
He takes Magnus to see the captain.

Le capitaine Eriksson a l'air très en colère.

"Petit imbécile," dit-il. "Qu'est-ce que tu fais là?"

"Je veux voir le nouveau monde," répond Magnus.

"Impossible!" dit le capitaine. "Tu n'es qu'un enfant!"

Il regarde les hommes. "Demain, nous devons rentrer avec le garçon. C'est la fin de tout."

Il y a des nuages noirs au loin.

Le vent est plus fort maintenant.

Captain Eriksson looks very angry.

"You young fool," he says. "What are you doing here?"

"I want to see the new world," Magnus answers.

"Impossible!" the captain says. "You are only a child!"

He looks at the men. "Tomorrow, we must go home with the boy. This is the end of everything."

There are dark clouds in the distance.

The wind is stronger now.

Le bateau tangue sur la mer en colère.

Magnus s'attache au mât avec une corde.

Il voit une vague énorme.

"Attention, Capitaine!" crie-t-il. *"Prenez-moi la main!"*

Le capitaine Eriksson saisit la main de Magnus.

La vague se brise sur le bateau. Magnus ne lâche pas.

Il ferme les yeux et tient bien le capitaine.

Après, le capitaine Eriksson regarde Magnus.

"Bravo, mon garçon," dit-il. Puis: "Tu peux rester."

The ship tosses on the angry sea.

Magnus ties himself to the mast with a rope.

He sees a huge wave.

"Look out, Captain!" he shouts. *"Take my hand!"*

Captain Eriksson grabs Magnus's hand.

The wave crashes over the ship. Magnus doesn't let go.

He closes his eyes and holds on to the captain tightly.

Afterwards Captain Eriksson looks at Magnus.

"Well done, my boy," he says. Then, "You can stay."

Magnus fait partie des hommes maintenant.

Le voyage est long. Tout le monde est fatigué et a faim.

Magnus se tient à l'avant du bateau.

Soudain, ses yeux s'ouvrent tout grand.

"Je vois des rochers!" crie-t-il.

Un peu plus tard, Magnus saute dans l'eau.

Il met le pied sur la plage avec une corde.

Les hommes le suivent.

"Tire, Magnus… *Tire!*" crie le capitaine Eriksson.

18

Magnus is one of the men now.

The journey is long. Everyone is tired and hungry.

Magnus is standing at the front of the ship.

Suddenly, his eyes open wide.

"I can see some rocks!" he shouts.

A short time later, Magnus jumps into the water.

He steps onto the beach with a rope.

The men follow him.

"Pull, Magnus… *Pull!*" shouts Captain Eriksson.

Les Vikings passent quatre mois dans le nouveau monde.
Ils trouvent beaucoup de nourriture et il fait chaud.
"C'est un bon endroit," dit le capitaine Eriksson.
"Mais nous ne pouvons pas rester ici pour toujours.
Nos familles ont besoin de nous au Groenland."
Magnus regarde le feu et pense à ses parents.
Le capitaine a raison.
"Quand rentrons-nous?" demande Olaf.
"Bientôt, mes amis," dit le capitaine Eriksson.

The Vikings spend four months in the new world.

They find a lot of food and the weather is warm.

"This is a good place," says Captain Eriksson.

"But we can't stay here for ever.

Our families need us in Greenland."

Magnus looks at the fire and thinks about his parents.

The captain is right.

"When do we go home?" asks Olaf.

"Soon, my friends," says Captain Eriksson.

Le lendemain matin, Magnus est heureux *et* triste.

"Tu vas être très célèbre," dit le capitaine Eriksson.

"Moi?" dit Magnus et il sourit.

"Oui. Tu es le premier Viking dans un nouveau monde."

Soudain, Magnus entend la voix de la vieille femme:

"Laisse-les dans le nouveau monde."

Il sort les deux poupées de son sac et les cache.

Le lendemain, le bateau quitte la plage.

Tout le monde rentre, Magnus aussi.

Next morning Magnus feels happy *and* sad.

"You are going to be very famous," says Captain Eriksson.

"Me?" says Magnus and he smiles.

"Yes. You are the first Viking in a new world."

Suddenly Magnus hears the old woman's voice:

"Leave them in the new world."

He takes the two dolls from his bag and hides them.

The next day, the ship leaves the beach.

Everyone is going home, Magnus too.

La plage est toujours là aujourd'hui, mille ans plus tard.
Molly Baker y joue.
Son frère lance un frisbee, mais il va trop haut.
"Désolé," dit-il. "Je crois qu'il est dans la grotte là-bas."
Molly le regarde un moment, puis elle va dans la grotte.
"Les frères!" dit-elle. "Ils sont vraiment…"
Soudain, elle s'arrête. "Qu'est-ce que c'est?"
Entre deux rochers, il y a une très vieille poupée.
"Incroyable!" dit-elle.

The beach is still there today, one thousand years later.
Molly Baker is playing there.
Her brother throws a frisbee, but it goes too high.
"Sorry," he says. "I think it's in the cave over there."
Molly looks at him for a moment, then she walks into the cave.
"Brothers!" she says. "They are really…"
Suddenly, she stops. "What's this?"
Between two rocks, there is a very old doll.
"Amazing!" she says.

Cette nuit-là, Molly fait un rêve.

Dedans, une vieille femme lui raconte une histoire.

Il s'agit d'un jeune Viking qui s'appelle Magnus
et d'un "nouveau monde".

"Raconte-la à tout le monde," dit-elle à la fin.

Le lendemain matin, Molly est très contente.

"Quelle histoire fantastique!" pense-t-elle.

Elle met la poupée dans son cartable.

That night, Molly has a dream.
In it, an old woman tells her a story.
It's about a young Viking called Magnus
and a 'new world'.
"Tell everyone," she says at the end.
In the morning, Molly is very happy.
"What a fantastic story!" she thinks.
She puts the doll in her schoolbag.

A l'école, Monsieur Legris dit:

"Alors, qui a une histoire à raconter à la classe?"

"Moi!" dit Molly. Elle raconte l'histoire de Magnus.

A la fin, tout le monde sourit.

"Merci, Molly," dit Monsieur Legris. "Bien sûr, ce n'est pas une histoire *vraie*, parce qu'en 1492…"

"Mais si, c'est vrai!" dit Molly.

Monsieur Legris la regarde.

"Assieds-toi, s'il te plaît, Molly."

At school, Mr Grey says,

"Now, who has a story for the class?"

"I do!" says Molly. She tells the story of Magnus.

At the end, everyone smiles.

"Thank you, Molly," says Mr Grey. "Of course,
it's not a *true* story, because in 1492…"

"But it *is* true!" says Molly.

Mr Grey looks at her.

"Sit down, please, Molly."

29

Cette nuit-là, Molly fait un autre rêve.

Cette fois-ci, Magnus lui parle.

"Retourne voir," dit-il. "C'est toi. *C'est toi!*"

Molly ne comprend pas, mais le lendemain
elle retourne à la grotte. Elle cherche longtemps.

Enfin, elle voit l'autre poupée au-dessus de sa tête.

Elle la regarde et sourit.

"C'est vraiment moi," dit-elle.

"Je sais la vérité, Magnus! *Je sais la vérité!*"

That night, Molly has another dream.

This time, Magnus speaks to her.

"Go and look again," he says. "It's you. *It's you!*"

Molly doesn't understand, but the next day
she returns to the cave. She looks for a long time.

Finally she sees the other doll above her head.

She looks at it and smiles.

"It really is me," she says.

"I know the truth, Magnus! *I know the truth!*"

Quiz

You will need some paper and a pencil.

1 Find two French words to describe each picture.
They are on story pages 6 and 8.

1   2   3

2 Can you match the words?
Find the pairs and write them down.

sea   vague
beach   bateau
cave   **mer**
rope   plage
wave   grotte
ship   corde

3 Choose a word from the box to complete each sentence.

1 Les parents de Magnus ont dix ....
2 Tout le monde est fatigué et a ....
3 Le frère de Molly lance un ....
4 La vieille femme raconte une .... à Molly.

faim
frisbee
cochons
histoire

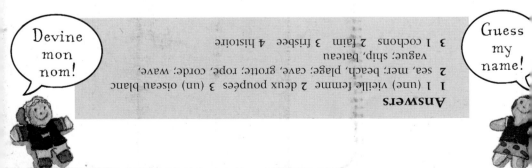

Devine
mon
nom!

Guess
my
name!